01 흔들리는 신라와 후삼국 시대

900년경

학습 목표
1. 신라 말기 사회 모습을 알아본다.
2. 후삼국이 만들어지는 과정을 알아본다.
3. 청해진 깃발을 만들어 본다.

1 지배층의 사치와 부패 (한국사 편지 2권 11쪽 참고)
2 호족 (한국사 편지 2권 13쪽 참고)
3 후백제 (한국사 편지 2권 14쪽 참고)
4 궁예 (한국사 편지 2권 17쪽 참고)
5 후삼국 시대 (한국사 편지 2권 19쪽 참고)
6 장보고 (한국사 편지 2권 20쪽 참고)

생각 한 걸음
생각책 **012**쪽

생각 두 걸음
생각책 **013~014**쪽

[😊😊] 표시는 이 책으로 공부한 어린이들이 실제로 쓴 답안 중에서 적절한 것을 골라 실은 것입니다. 만약 지금 문제를 풀고 있는 어린이가 다소 다른 대답을 하더라도 문항의 핵심을 충분히 이해했다면 어린이의 다양한 생각을 존중해 주세요.

1

2 😊 지배층은 귀한 물건을 쓰며 사치스럽고 호화로운 삶을 살았고 백성들은 먹고살기가 힘들어서 종이 되거나 굶어 죽기도 했다.

깊이 생각하기
생각책 015~016쪽

1 😊 왕과 귀족이 백성들의 삶을 편안하게 돌봐 주지 않았기 때문이다. 왕과 귀족이 사치를 하며 자신들만 잘 먹고 잘살았고, 흉년이 들어 백성들의 삶이 더 어려워졌는데도 백성들을 도와줄 생각은 하지 않고 더 힘들게 했다. 이런 신라 왕실과 지배층에 대한 분노와 저항이 신라 말기 농민 봉기가 많이 일어나게 된 원인이 되었다.

😊 신라 말기에는 지배층이 서로 권력을 잡기 위해 싸움을 많이 해서 사회가 혼란했기 때문이다. 권력 다툼을 하느라 백성들의 생활은 돌보지 않아 이에 화가 난 백성들이 봉기를 일으키게 된 것이다.

2 😊 왕은 지방의 호족들이 군사를 키우고 세금을 걷었기 때문에 힘이 약해졌을 것이다. 호족들은 세력을 키우기 위해 서로 다퉜을 것이다. 힘이 있는 호족들이 여러 명 나타나면서 더 많은 땅과 백성을 차지하기 위해 서로 경쟁하게 되었기 때문이다. 백성은 더 살기 힘들어졌을 것이다. 왕실의 말도 들어야 하고 자기가 사는 지방의 호족 말도 들어야 했기 때문이다.

😊 왕은 지방의 호족들을 두려워하게 되었을 것이다. 호족들이 군사를 키워 왕을 압박했기 때문에 왕의 자리를 빼앗길까 봐 두려웠을 것이다. 호족들은 자기 지방에 사는 백성들의 마음을 얻기 위해 노력했을 것이다. 자기 지방 백성이 자신을 따르지 않으면 자기의 힘이 약해지는 것이므로 백성들의 마음을 얻으려 했기 때문이다. 백성들은 자신들을 위하는 정치를 하는 호족들을 만나게 되면 좀 더 살기 좋아졌을 것이다.

3 😊 견훤이 나라를 세운 완산주와 무진주는 옛날 백제 땅이었다. 견훤은 그곳에 사는 사람들의 마음을 얻기 위해서 백제를 이어받았다는 의미로 후백제라고 이름을 지었다. 궁예도 옛 고구려 땅에 사는 사람들의 민심을 얻으려고 나라 이름을 후고구려라고 했다.

생각 펼치기
생각책 017쪽

이 책으로 공부한 어린이들의 실제 답안을 그대로 실었습니다. 어린이들의 다양한 생각과 관심을 파악할 수 있을 것입니다.

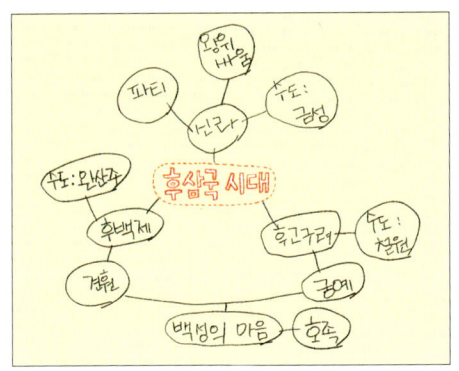

신라의 왕과 귀족들은 매일 파티를 하며 놀았고, 왕위 다툼이 심했다. 호족 견훤과 궁예가 그 틈을 타서 백성들의 마음을 얻으며 후백제와 후고구려를 세웠다. 후백제의 수도는 완산주이고 후고구려의 수도는 철원이다.

[송림초4 성동진]

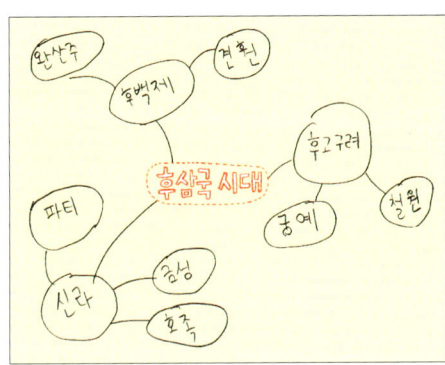

후삼국 시대에 신라는 백성을 돌보지 않고 파티만 즐겼다. 신라의 수도는 금성인데 금성 이외의 지방에 힘 있는 호족들이 생겼다. 그 호족 중 궁예는 철원에 후고구려를 세웠고, 견훤은 완산주에 후백제를 세웠다. 이렇게 신라, 후백제, 후고구려를 합쳐서 후삼국 시대라고 한다.

[일월초4 이현아]

역사와 뛰놀기
생각책 018쪽

[황룡초5 최서영]

[대화초6 정 솔]

왕건과 후삼국 통일

936년

02

학습 목표
1. 후삼국의 통일 과정을 알아본다.
2. 왕건의 왕권 강화 정책을 알아본다.
3. 후삼국 유적지의 답사 계획을 세워 본다.

생각 한 걸음
생각책 022쪽

1 철원-송악-철원 (한국사 편지 2권 27쪽 참고)
2 왕건 (한국사 편지 2권 29쪽 참고)
3 고창(지금의 경상북도 안동) 전투 (한국사 편지 2권 30쪽 참고)
4 신검 (한국사 편지 2권 31쪽 참고)
5 경순왕 (한국사 편지 2권 35쪽 참고)
6 고려는 고구려를 계승한 나라이며 발해도 역시 고구려를 계승했다고 생각했기 때문이다. (한국사 편지 2권 37쪽 참고)

생각 두 걸음
생각책 023~024쪽

[😊😄] 표시는 이 책으로 공부한 어린이들이 실제로 쓴 답안 중에서 적절한 것을 골라 실은 것입니다. 만약 지금 문제를 풀고 있는 어린이가 다소 다른 대답을 하더라도 문항의 핵심을 충분히 이해했다면 어린이의 다양한 생각을 존중해 주세요.

1 😊😄

나는 강력하게 신라에 반대한다. 신라의 썩어 빠진 제도들을 다 없애고 새로운 나라를 세울 것이다. 특히 골품제를 폐지하고, 신분에 상관없이 실력만 있으면 나라의 관리로 뽑을 것이다.

동생 금강을 죽이고 아비를 금산사에 가둔 신검 녀석! 내가 너를 가만두지 않을 것이다! 내가 적국인 고려로 가서라도 신검을 왕위에서 끌어내릴 것이다.

2 ❶ 😊 태조 왕건은 여러 지역의 여성들과 결혼을 했다.

👦 태조 왕건은 29명의 부인이 있었다.
❷ 👦 왕건은 호족들을 자신의 편으로 만들고 왕권을 강화하기 위해서 호족의 딸들과 여러 번 결혼했다.
👧 호족들이 왕건과 가까운 사이가 되려고 자신의 딸들과 왕건이 결혼하기를 원했기 때문이다.

깊이 생각하기
생각책 025~026쪽

1 👦 궁예에게 반대하는 사람들이 많아졌기 때문이다. 큰 힘을 가진 왕이 되려고 했던 궁예가 호족들을 억누르자, 호족들은 궁예를 싫어했다. 또 궁예가 골품제를 없애려고 하자, 신라의 귀족들도 궁예를 싫어했다. 궁예는 자신을 미륵이라고 하면서 자신을 비판하는 사람들을 가차 없이 죽였다. 이런 행동에 불만을 가진 사람들이 궁예를 쫓아냈을 것이다.
 👧 강력한 왕 중심의 국가를 이루려고 했던 궁예의 뜻을 이해하고 지지하는 사람들이 궁예 주변에는 많지 않았다.

2 👦 신라가 멸망한 이유는 귀족들이 사치스럽고 부패했기 때문이다. 살기 힘들어진 농민들은 너도나도 봉기를 일으켰고, 신라는 혼란에 빠졌다. 신라의 지배층은 지방을 다스릴 힘이 없어졌고, 각 지방에는 힘센 호족들이 등장했다.
 후백제의 멸망 이유는 권력 다툼 때문이다. 백제의 신하들은 견훤을 따르는 편과 신검을 따르는 편으로 갈라져서 싸웠다. 그 싸움에 견훤이 왕건을 끌어들였고, 결국 후백제는 무너졌다.

3 👧 결혼 정책: 강한 힘을 가진 호족과 결혼을 해서 친척이 되면, 아무리 힘센 호족이라고 해도 왕을 도울 수밖에 없을 것이다. 그래서 결혼 정책이 가장 큰 도움을 주었을 것이다.
 👦 근친혼: 근친혼이 가장 큰 도움을 주었을 것이다. 왜냐하면, 왕실 사람들끼리 결혼을 하면 왕실에서 계속 권력을 차지할 수 있기 때문이다.
 👧 사성 제도: 호족에게 '왕'씨 성을 주고 잘 대접해 주면, 다른 호족들도 마음이 흔들려 왕의 편이 될 것이다. 그러면 왕에게 충성

을 다하는 사람이 늘어날 것이다.
- 기인 제도: 기인 제도가 가장 큰 도움을 준 것 같다. 호족들의 아들을 수도에 잡아 두면 자식을 사랑하는 마음 때문에 호족들이 함부로 왕에게 맞서지 않을 것이다.

생각 펼치기

생각책 027쪽

이 책으로 공부한 어린이들의 실제 답안을 그대로 실었습니다. 어린이들의 다양한 생각과 관심을 파악할 수 있을 것입니다.

안녕하세요. 고려의 왕이 된 왕건입니다.
저는 이 나라의 국호를 고려라고 하고 도읍을 철원에서 송악으로 옮기겠습니다. 신라의 유민과 백제의 유민도 고려의 백성으로 받아들일 것입니다. 그리고 발해의 유민도 고구려의 후손이므로 땅을 조금씩 주겠습니다. 저는 신하들의 충고를 기꺼이 받아들이고 고자질을 멀리할 것입니다. 또한, 도선 스님이 정해 놓은 땅 이외의 곳에 함부로 절을 짓지 못하게 하겠습니다. 그리고 세금을 엄청나게 많이 깎아 주겠습니다. 백성을 아끼고 사랑해서 살기 좋은 나라를 만들겠습니다.

[목운초6 임도윤]

속고만 살았느냐!
이제부터는 나를 믿고 따르라!

지금보다 더 나은 생활을 하게 해 주겠다.
세금을 줄여 주겠다. 억울하게 노비가 된 자들을 풀어 주겠다.
관리들의 부정부패를 없애겠다.

하지만 고려가 좋은 나라가 되기 위해서는 너희도 약속을
해 주어야 한다.
군사 훈련에 잘 참여해라.
농사를 열심히 지어라.
세금도 제때 내 줬으면 좋겠다.
이것만 잘 지켜 준다면 내가 고려를 좋은 나라로 잘 만들겠다.

[황룡초5 최서영]

역사와 뛰놀기
생각책 **028**쪽

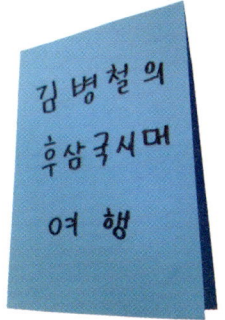
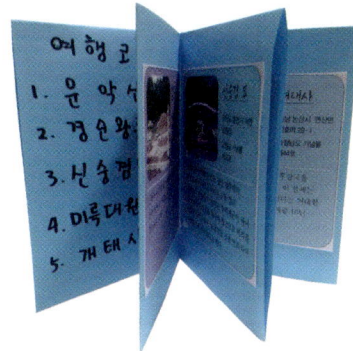
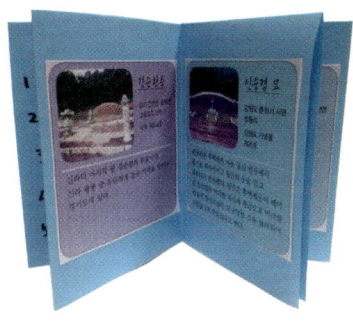

[일월초4 김병철]

03
문벌 귀족의 나라, 고려
956년

학습 목표
1. 고려 전기 정치 제도를 알아본다.
2. 고려 전기 사회의 특징을 알아본다.
3. 사륜정을 만들어 본다.

1 광종 (한국사 편지 2권 43쪽 참고)
2 노비안검법은 호족들이 불법으로 가지고 있던 노비들을 양인으로

생각 한 걸음
생각책 **032**쪽

되돌려 주게 한 법이다. (한국사 편지 2권 43쪽 참고)

3 수조권 (한국사 편지 2권 45쪽 참고)

4 공음전 (한국사 편지 2권 47쪽 참고)

5 문벌 (한국사 편지 2권 47쪽 참고)

6 백정 (한국사 편지 2권 49쪽 참고)

생각 두 걸음
생각책 033~034쪽

[😊 👧] 표시는 이 책으로 공부한 어린이들이 실제로 쓴 답안 중에서 적절한 것을 골라 실은 것입니다. 만약 지금 문제를 풀고 있는 어린이가 다소 다른 대답을 하더라도 문항의 핵심을 충분히 이해했다면 어린이의 다양한 생각을 존중해 주세요.

1

😊 양계가 국경과 가까운 것을 보니, 양계는 적의 침입에 대비하기 위해 만든 것 같다.

2 👧 고려 시대 문벌 귀족은 그림을 감상하고, 책을 읽고, 시를 짓는 생활을 꿈꾸었을 것이다.

👶 자연과 함께하며 여유로운 생활을 꿈꾸었을 것이다.

깊이 생각하기
생각책 035쪽

1 😊 호족은 노비의 수가 적어지면 자신의 힘이 약해지고 재산이 줄어들기 때문에 노비안검법에 반대했다. 호족에게 노비는 농사를 지어 곡식을 생산하는 역할과 병사의 역할도 하는 중요한 재산이었다. 그래서 호족은 노비를 많이 가지려고 했다.

2 👧 신라는 골품제로 관직에 오를 수 있었고, 고려는 과거 제도로

관직에 오를 수 있었다. 신라는 골품에 따라 관리가 될 수 있었고, 올라갈 수 있는 관직도 골품에 의해 정해져 있었다. 그래서 관리가 되기 위해 시험을 볼 필요가 없었다. 고려의 과거 제도는 시험을 치르고 합격해야 관리가 될 수 있었고, 신분에 따라 오를 수 있는 관직의 한계도 없었다. 하지만 음서 제도가 있어서 5품 이상의 고급 관리의 자손이나 공신의 자손은 과거 시험을 치르지 않고 관리가 될 수도 있었다.

3 문벌 귀족에게 특혜를 주는 것은 필요하지 않다고 생각한다. 음서로 실력이 없는 사람이 관리가 된다면 백성의 생활을 잘 돌볼 수 없을 것이다. 또한, 음서와 공음전으로 대를 이어 관직과 토지를 차지하게 되면, 몇몇 귀족만 힘이 세질 것이다. 결국에는 힘을 독차지한 귀족이 자신에게 유리한 정치를 할 것이고, 백성의 생활은 더욱 힘들어질 것이다.

문벌 귀족에게 특혜를 주는 것은 필요하다고 생각한다. 이런 특혜가 있었기 때문에 귀족은 왕에게 충성하고 나라에 전쟁이 나면 목숨을 걸고 싸웠을 것이다.

생각 펼치기
생각책 036~037쪽

이 책으로 공부한 어린이들의 실제 답안을 그대로 실었습니다. 어린이들의 다양한 생각과 관심을 파악할 수 있을 것입니다.

그 당시 고려는 오랑캐의 침략을 견제하고 있었다. 군사력을 키워 미리 대비해야 할 필요가 있었다. 귀족을 지나치게 억누르지 말라는 말에서 귀족의 세력이 강했다는 것을 알 수 있다. 그리고 불교의 세력이 막강해서 곳곳에 절을 많이 지었다. 또한, 불교 행사를 지나치게 크게 열어서 백성들에게는 큰 부담이 되었다.

[대화초6 정 솔]

당시에는 함부로 절을 지으며 불교 행사를 과하게 하였다. 또 왕이 신하에게 함부로 대하고 억눌렀다. 그리고 지방의 사람들이 살기 힘들다고 호소했다. 그래서 지방 관리를 파견하여 농민의 난이 일어나지 않게 관리했을 것이다. 관리들이 옷을 너무 사치스럽게 입었다. 그리고 공신의 자손을 등용하지 않았다. 아버지를 잘 둔 덕에 벼슬을 하는 것이 옳지 않다고 생각할 수도 있다. 하지만 '그 아버지에 그 아들'이라는 속담이 있는데 훌륭한 아버지를 둔 자녀를 등용하는 것이 그다지 나쁜 것 같지는 않다. 그리고 그런 혜택이 없다면 나라에 힘든 일이 있을 때 앞장서서 싸우는 신하가 없을 것이다.

[목운초6 임도윤]

역사와 뛰놀기
생각책 **038**쪽

[황룡초5 최서영]

거란과의 30년 전쟁

1019년

04

학습 목표
1. 고려 전기 대외 관계를 알아본다.
2. 고려와 거란과의 전쟁을 알아본다.
3. 전쟁 기록화를 그려 본다.

생각 한 걸음
생각책 **042**쪽

1 거란 (한국사 편지 2권 57쪽 참고)
2 서희 (한국사 편지 2권 58쪽 참고)

3 청야 전술 (한국사 편지 2권 65쪽 참고)

4 천리장성 (한국사 편지 2권 65쪽 참고)

5 귀주 대첩 (한국사 편지 2권 66쪽 참고)

6 윤관 (한국사 편지 2권 68쪽 참고)

생각 두 걸음
생각책 043~044쪽

[😀 👧] 표시는 이 책으로 공부한 어린이들이 실제로 쓴 답안 중에서 적절한 것을 골라 실은 것입니다. 만약 지금 문제를 풀고 있는 어린이가 다소 다른 대답을 하더라도 문항의 핵심을 충분히 이해했다면 어린이의 다양한 생각을 존중해 주세요.

1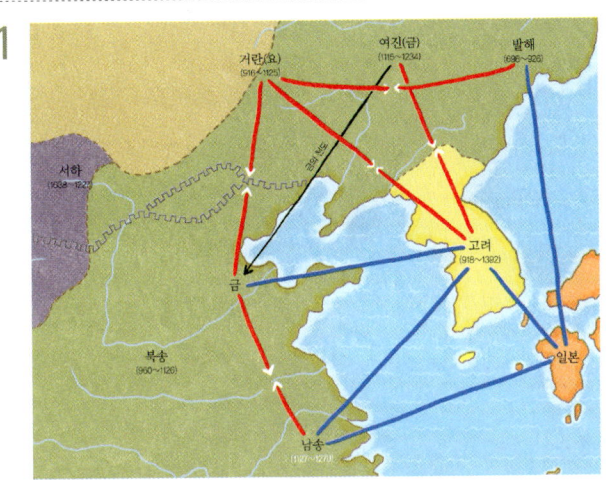

2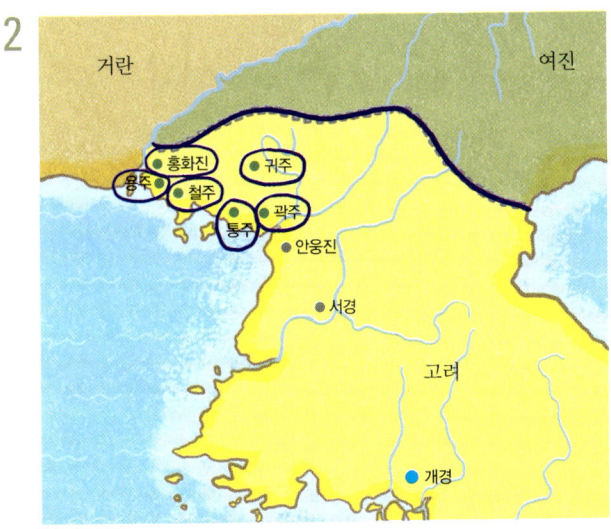

3 😀 고려의 귀족과 백성들은 모두 지치고 힘들었기 때문에 부처님에게 빌어서 고려가 평안해지기를 바랐던 것 같다.

👧 고려는 불교를 숭상하는 나라였기 때문에 나라에 어려운 일이 생기면 부처님에게 의지하려는 마음에서 대장경이나 탑을 만들었을 것이다.

깊이 생각하기

생각책 045~046쪽

1. 😊 거란은 고려가 송나라와 손을 잡고 자신에게 맞설까 봐 걱정했을 것이다. 그래서 송을 공격하기 전에 고려를 먼저 자신의 편으로 만들거나 무너뜨리려고 고려를 침입했다고 생각한다.
   👧 고려가 거란을 무시하고, 친하게 지내지 않아서 침입했다.

2. 👦 장군들은 전략을 잘 세워 거란을 물리치려고 노력했다. 1차 침입 때는 서희가 대화로 거란을 물러가게 했고, 3차 침입 때는 양규와 강감찬 장군이 흥화진과 귀주에서 거란군을 크게 물리쳤다.
   😊 고려 왕실에서는 초조대장경을 만들어 불심으로 거란을 물리치려고 노력했다.
   😊 백성들은 목숨을 바쳐 거란군과 직접 싸우며 나라를 지키려고 노력했다.

3. 👧 나라의 이익을 먼저 생각했기 때문에 잘했다고 생각한다. 왕은 나라를 안정시키는 것을 가장 중요하게 생각해야 한다. 그래야 백성들도 마음 놓고 살 수 있기 때문이다. 그래서 어느 한 나라와 친하게 지내는 것보다는 그때그때 판단해서 결정한 것은 잘한 일이라고 생각한다.
   😊 나라끼리의 약속을 지키지 않은 것은 잘못되었다고 생각한다. 고려가 송과 친하게 지내지 않겠다는 거란과의 약속을 지키지 않았기 때문에 거란이 두 번째 침입을 하게 되었다. 그래서 백성들은 또 전쟁을 해야 했고 그래서 살기가 더 힘들어졌다.

생각 펼치기

생각책 047쪽

이 책으로 공부한 어린이들의 실제 답안을 그대로 실었습니다. 어린이들의 다양한 생각과 관심을 파악할 수 있을 것입니다.

현종왕께

지난 무오년 2월 1일에 거란족이 세 번째로 쳐들어왔습니다. 개경을 수비하던 김종현의 군사 만 명과 저의 군사들이 힘을 합해서 거란을 공격해 대승했습니다. 거란 쪽 군사는 10만 명 중 3천 명만 살아남아 도망쳤습니다. 이상 보고를 마칩니다.

무오년 2월 5일 강감찬 올림

[목운초6 임도윤]

귀주의 동쪽 벌판을 지키던 고려의 군사들이 거란군 10만 명 중 3천 명만을 남기고 모두 물리쳤음을 보고합니다.

　저희는 바람의 방향이 거란군 쪽으로 바뀌는 때를 기다려 맹공격을 퍼부어 크게 이겼습니다. 이번 전투는 우리의 군사들이 합심해서 혼신을 다해 싸웠기 때문에 적을 몰아낼 수 있었습니다. 군사들은 10만 대군과 싸워 승리한 것을 자랑스럽게 여기고 있습니다. 이상 보고를 마칩니다.

장군 강감찬 올림

[대화초6 정 솔]

　폐하께

　폐하 안녕하십니까? 저는 강감찬 장군입니다.

　제가 이 장계를 보내는 이유는 이 전투에서 이겼기 때문입니다. 저는 적은 숫자의 고려군을 데리고 거란의 10만 대군과 싸워 이겼습니다. 적은 군사로 대군과 싸워 이길 수 있었던 이유는 갑자기 비바람이 거란군 쪽으로 몰아쳤을 때 이를 놓치지 않고 화살을 퍼부었기 때문입니다. 하늘이 도우신 것 같습니다.

　이 모든 것은 다 폐하께서 백성들과 군사를 잘 안정시켜 주시고 도와주신 덕분입니다.

[송림초4 성동진]

역사와 뛰놀기
생각책 048쪽

[황룡초5 최서영]

[대화초6 정 솔]

국제 무역항 벽란도와 코리아

1029년

05

학습 목표
1. 고려 시대의 경제 활동을 알아본다.
2. 고려와 외국과의 문물 교류를 알아본다.
3. 고려 시대 시장과 현대의 시장을 비교해 본다.

생각 한 걸음
생각책 052쪽

1 벽란도 (한국사 편지 2권 73쪽 참고)
2 인삼 (한국사 편지 2권 77쪽 참고)
3 송나라 (한국사 편지 2권 76쪽 참고)
4 시전 (한국사 편지 2권 79쪽 참고)
5 남대가 (한국사 편지 2권 79쪽 참고)
6 개성상인(송상) (한국사 편지 2권 81쪽 참고)

생각 두 걸음
생각책 053~055쪽

[👦👧] 표시는 이 책으로 공부한 어린이들이 실제로 쓴 답안 중에서 적절한 것을 골라 실은 것입니다. 만약 지금 문제를 풀고 있는 어린이가 다소 다른 대답을 하더라도 문항의 핵심을 충분히 이해했다면 어린이의 다양한 생각을 존중해 주세요.

1 ❶ 👦 고려 시대 사람들이 물건을 사고팔 때 지금의 돈처럼 사용했던 물건들이다.

❷

👦 고려 사람들에게 동전이나 종이돈은 낯선 물건이었고, 예전부터 사용했던 옷감이나 쌀로 물건을 사고파는 것이 훨씬 익숙했기 때문이다.

2
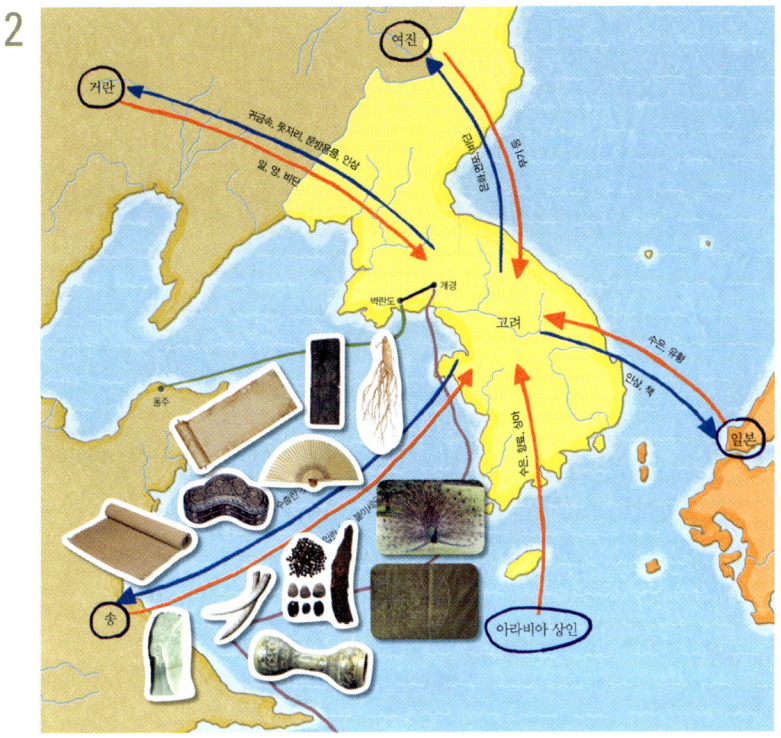

3 😊 예성강과 서해가 만나는 곳에 있어, 배로 물건을 싣고 와 장사하기 편리했기 때문이다.
😄 수도인 개경과 가까워 이용하는 사람이 많았고, 새로운 물건이 활발히 교류되었기 때문이다.

깊이 생각하기
생각책 **056**쪽

1 😊 나라에서 시장을 운영하면 직접 물건을 팔아 돈을 벌 수 있으며, 시전의 건물을 상인들에게 빌려 주어 사용료를 받고, 세금도 걷을 수 있기 때문이다.
😄 나라에서 시장을 운영하면 시전을 보호하고, 물건의 품질과 수량을 조절할 수 있었기 때문이다. 그러면 물건이 남거나 모자라지 않게 되어 적당한 가격을 유지할 수 있었을 것이다.

2 👦 국제 무역이 활발하게 이루어지려면 사고팔 수 있는 특산품이 있어야 하고, 멀리까지 상품을 운반할 수 있는 튼튼한 배가 있어야 하며 배가 드나들 수 있는 항구가 있어야 한다.
😊 나라에서 무역을 잘할 수 있게 정책을 펼쳐야 하고, 큰 배가 드

나들 수 있는 항구와 말을 통역해 주는 통역관이 있어야 한다. 그리고 공통으로 사용할 수 있는 화폐가 필요하다.

3 😊 고려 사람들은 아라비아나 송나라의 상인 등 여러 나라 상인들을 만나면서 넓은 세상에 대해 궁금증이 생기고, 다른 나라에 대해서도 많이 알게 되었을 것이다.

👧 고려 사람들은 경제적으로 부유해졌을 것이다. 무역하기 위해 고려에 온 외국인들에게 물건을 팔고, 잠자리와 먹을 것을 제공하면서 돈을 많이 벌었을 것이다.

👦 '소'에 사는 사람들은 수출할 물건을 많이 만들어야 해서 힘들었을 것이다.

생각 펼치기
생각책 057쪽

이 책으로 공부한 어린이들의 실제 답안을 그대로 실었습니다. 어린이들의 다양한 생각과 관심을 파악할 수 있을 것입니다.

[목동초5 장유준]

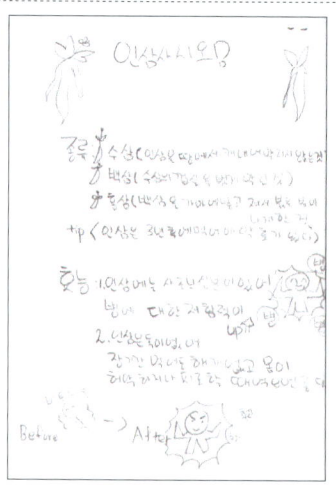

[일월초4 이현아]

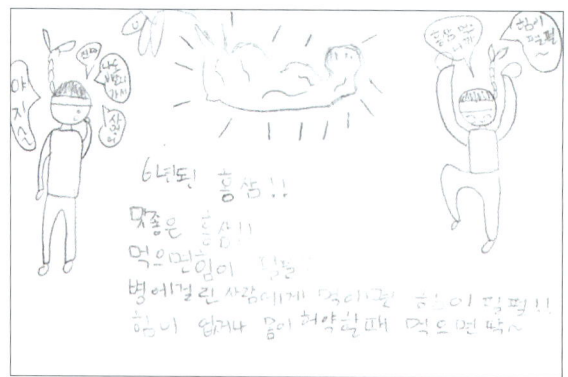

[송림초4 성동진]

06 불교의 나라, 고려

1097년

학습 목표
1. 고려 시대의 다양한 종교를 알아본다.
2. 고려 시대 불교의 특징을 알아본다.
3. 단청을 색칠하고 꾸며 본다.

---

1 불교 (한국사 편지 2권 86쪽 참고)
2 승과 (한국사 편지 2권 89쪽 참고)
3 왕사, 국사 (한국사 편지 2권 89쪽 참고)
4 절의 영역을 나타내는 표지 (한국사 편지 2권 91쪽 참고)
5 원 (한국사 편지 2권 94쪽 참고)
6 성황 신앙 (한국사 편지 2권 95쪽 참고)

생각 한 걸음
생각책 062쪽

---

1 👦 신라의 불상이 수도인 경주 중심으로 왕실이 주도해서 만들어진 데 비해서 고려의 불상은 각 지역별로 각각 만들어졌기 때문에 다양한 모습을 하고 있다.
👧 지방마다 생산되는 자원이 다르기 때문에 다양하게 만들어졌다.
👦 지방에서 만든 불상은 아무래도 왕실이 만든 불상보다 기술이나 솜씨가 떨어졌기 때문에 못생겼지만 재미있는 모습의 불상이 많이 나왔다.

생각 두 걸음
생각책 063~065쪽

[👦 👧] 표시는 이 책으로 공부한 어린이들이 실제로 쓴 답안 중에서 적절한 것을 골라 실은 것입니다. 만약 지금 문제를 풀고 있는 어린이가 다소 다른 대답을 하더라도 문항의 핵심을 충분히 이해했다면 어린이의 다양한 생각을 존중해 주세요.

017

2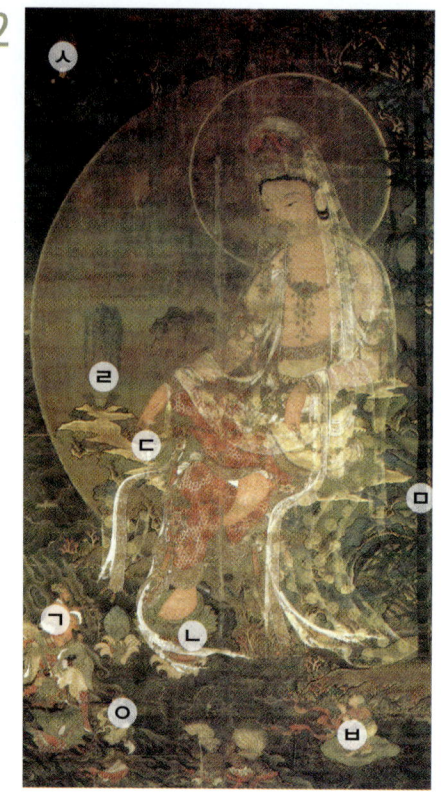

3 ㉠ 불교 ㉡ 성황 신앙 ㉢ 유교

👩 고려에는 불교 이외에도 여러 종교가 있었다. 고려 사람들은 생활 속에서 여러 종교를 함께 믿었다.

👦 고려에는 절이 많았다. 개경에 있는 절의 규모가 컸다. 고려 왕실에서는 도교 행사를 했었다.

깊이 생각하기
생각책 **066**쪽

1 👦 연등회와 팔관회는 백성들의 마음을 하나로 모아서 왕실의 안정을 가져 오고 나라를 다스리는 데 도움이 되었기 때문이다.

👩 다른 나라 상인이나 사신들에게 고려를 알리는 데 중요한 역할을 한 행사였기 때문이다. 팔관회 때는 송, 거란, 여진을 비롯한 여러 나라 상인들도 와서 축하해 주었다.

👴 백성들이 복을 빌고 함께 모여서 즐길 수 있는 축제였기 때문이다. 연등회와 팔관회는 술과 음식을 나눠 먹으며 즐거운 시간을 갖는 명절이자 축제였다.

2 👧 절마다 땅을 소유하고 있었기 때문이다. 고려 시대의 절은 넓은 땅을 갖고 있어서 농사를 지어 수확물을 거두거나 농민에게 땅을 빌려 주어 소작료를 받는 등의 경제 활동이 가능했다.

👦 고려 시대에는 불교가 발달했기 때문이다. 고려에서는 매년 중요한 국가 행사인 연등회와 팔관회가 열려서 많은 사람들이 절에 드나들었다. 사람들이 많이 모이게 되면서 자연스럽게 많은 물건이 사고팔렸을 것이다.

3 👧 고려 시대의 불교는 나라에서 지원을 받았기 때문이다. 불교 행사가 국가의 대표적인 행사로 치러졌고, 승려는 나라의 지배층이었으며 절은 넓은 땅을 소유할 수 있었기 때문에 힘이 있었다.

👦 어려운 일을 겪으면서 백성들의 마음을 모을 수 있는 종교가 필요했기 때문이다. 고려는 여러 전쟁을 겪으면서 나라 전체가 힘들고 어려울 수밖에 없었는데, 그때마다 불교가 고려의 정신적인 역할을 했기 때문에 불교가 번성할 수 있었다.

👧 삼국 시대에 전해진 불교가 고려 시대에 들어서 백성들의 종교로 정착했기 때문이다.

생각 펼치기
생각책 067쪽

이 책으로 공부한 어린이들의 실제 답안을 그대로 실었습니다. 어린이들의 다양한 생각과 관심을 파악할 수 있을 것입니다.

높이는 약 18미터로, 몸은 머리의 크기로 따져볼 때 약 3.5등신 정도 된다. 손 모양은 전형적인 부처 자세를 하고 있으며, 얼굴은 거의 완벽한 사각형이다. 머리 위에는 얼굴의 1.5배 정도가 돼 보이는 기둥이 있고, 그 기둥 위에는 각 꼭짓점에 종이 달린 정사각형이 있으며, 그 위에는 또 꼭짓점마다 이상한 물체가 솟아 있는 더 작은 정사각형이 또 다른 기둥 위에 올려 있다. 이 부처는 서 있으며 허리에서부터 내려오는 주름 잡힌 치마 같은 것을 입고 있다.

[염리초5 추민재]

얼굴은 사다리꼴이고 머리 모양이 삼각형처럼 보이는 모자를 썼다. 모자 위에는 갓처럼 큰 사각형이 있고, 그 위에 작은 사각형이 있다. 큰 사각형의 각 모서리에는 종이 달려 있다. 얼굴은 부처님의 온화한

얼굴과 흡사하고, 이마에 점이 있다. 턱살이 2겹이고 목이 매우 짧다. 오른손의 모양은 선서하는 모습이고, 왼손은 딱밤을 때리기 1초 전의 모양이다. 다리는 보이지 않으며, 바지 덕분에 다리 모양이 직사각형처럼 보인다.

[목운초6 임도윤]

얼굴은 사각형 모양이고 머리는 파마를 한 모양 같이 꼬불꼬불하다. 귀는 축 늘어졌으며 입이랑 코가 아주 크고 못생겼다. 케이크 같이 생긴 이상한 모자를 쓰고 있으며 4겹의 목주름이 있고 손은 OK사인을 하고 있는 모습이다. 옷은 팔이랑 하체만 입고 있는 것 같다. 아주 얇은 옷을 입은 것처럼 보인다.

[일월초4 이현아]

고려 사람들은 어떻게 살았을까?

1102년

07

학습 목표
1. 고려 시대 사람들의 생활과 풍습을 알아본다.
2. 고려 시대 여성의 지위를 알아본다.
3. 향낭을 만들어 본다.

생각 한 걸음
생각책 072쪽

1 균분 상속 (한국사 편지 2권 102쪽 참고)
2 불교 (한국사 편지 2권 104쪽 참고)
3 결혼하면 남편이 아내 집으로 가서 아내와 살면서 자식을 낳고 키우다가 자식이 어느 정도 자란 뒤에 남편 집으로 갔다. (한국사 편지 2

권 105쪽 참고)

4 태어난 순서대로 기록했다. (한국사 편지 2권 106쪽 참고)

5 고려 (한국사 편지 2권 107쪽 참고)

6 호적 (한국사 편지 2권 108쪽 참고)

생각 두 걸음
생각책 073~075쪽

[😊 👧] 표시는 이 책으로 공부한 어린이들이 실제로 쓴 답안 중에서 적절한 것을 골라 실은 것입니다. 만약 지금 문제를 풀고 있는 어린이가 다소 다른 대답을 하더라도 문항의 핵심을 충분히 이해했다면 어린이의 다양한 생각을 존중해 주세요.

1 😊 여자들 옷은 저고리가 길고 옷깃을 오른쪽으로 여며 입었다. 고려 여자들은 귀족이나 하녀 모두 머리에 장식하는 것을 좋아한 것 같다. 귀족의 옷은 색과 무늬가 화려하다. 귀족의 옷은 소매가 매우 넓어 활동하기 불편했을 것 같다. 특히 귀족 여자가 얇은 천을 머리에 쓰고 얼굴을 가리고 다니는 점이 특이하다. 남자 귀족들은 관모를 썼고 관대라는 허리띠를 했다. 하녀나 농민들은 수수하고 일하기 편한 옷차림이다. 농민들은 소매와 바짓단을 걷어 올리거나 웃옷을 벗고 일을 하기도 했다.

2 👧 👦

깊이 생각하기
생각책 076쪽

1 😊 왕이 나라를 편리하게 통치하기 위해 만들었을 것이다. 백성의 숫자가 총 몇 명이고, 얼마만큼의 땅과 재산을 가지고 있고, 성인 남자가 몇인지 등을 정확히 알면 세금을 정확히 걷을 수 있고, 군사로 뽑을 수 있는 남자가 몇 명인지를 쉽게 알 수 있기 때문이다.

2 🧒 나라에서 지방 호족에게 그들의 근거지를 기본으로 성씨와 본관을 내려 주었기 때문이다.

👦 호족들은 왕이나 몇몇 대귀족들만 갖고 있던 성씨와 본관을 갖게 되면서 자신들의 집안에 대한 자부심을 갖게 되었다.

3 👧 고려 시대 사람들은 아들, 딸 구분 없이 태어나는 순서대로 족보나 호적에 기록했다. 결혼하게 되면 결혼식은 보통 여자의 집에서 치렀고 이후 한동안은 신부 집에서 함께 살았다. 이것을 처가살이라고 한다. 자식들 대부분이 외가에서 보살핌을 받으며 자랐다. 불교를 중요하게 여기는 나라여서 사람이 죽으면 불교식으로 장례를 치렀으며, 제사도 불교식으로 지냈다. 재산을 상속할 때는 아들, 딸 구별 없이 똑같이 나눠 주는 균분 상속을 했다.

👦 고려 시대 사람들은 결혼하면 대부분 남자가 처가살이를 했다. 아이가 태어나면 출생한 순서에 따라 족보에 기록했다. 아이들은 대부분 외가에서 자랐다. 부모님이 돌아가시면 자식들에게 차별하지 않고 균분 상속을 했고, 불교식으로 제사를 지냈다.

생각 펼치기

생각책 077쪽

이 책으로 공부한 어린이들의 실제 답안을 그대로 실었습니다. 어린이들의 다양한 생각과 관심을 파악할 수 있을 것입니다.

내가 올해 92살이다. 살날이 얼마 남지 않았으니 유언장을 남긴다. 그리고 재산 상속 문제가 있을 수 있으니 내가 미리 정리해 주겠다. 나이가 67살인데 아직 결혼을 못 한 우리 장녀에게는 여자 노비 12명과 나라에서 받은 금 25돈을 주겠다. 나중에 결혼하게 되면 너의 남편에게 금을 선물하여라. 욕을 잘하고 행동이 나쁜 장남에게는 앵무새와 금 8돈을 주겠다. 앵무새는 사람이 한 말을 따라 하는 능력이 있으니 네가 욕을 하면 앵무새가 너의 말을 따라 할 것이다. 그때마다 다른 사람이 너의 말을 듣고 느끼는 마음을 헤아려 보아라. 그리고 둘째 아들은 풍수지리에 대해 관심이 많으니 비옥한 토지 120결을 주겠다. 단, 땅에서 얻는 곡식은 형제들에게 똑같이 나누어 주어야 한다. 늦둥이 막내에게는 송나라에서 수입한 비단 20필을 주겠다. 아직 나이가 어리니 첫째 누나 집에서 30살까지 살아라. 남은 노비 60명은 한 사람당 15명씩 제비뽑기로 갖도록 해라. 나는 늦은 나이에 안찰부사가 되었다. 그전까지 살림이 어려울 때 이웃집 박씨에게 빚을 진 것이 있다. 시지 25결을 팔아 그 빚을 갚아라. 마지막으로 형제자매끼리 서로 도우며 잘 살아라.

[목운초6 임도윤]

　너희는 모두 네 명이다. 그러므로 나는 모든 것을 4등분하여 물려주겠다. 집 근처의 비옥한 토지에는 땅이 축축한 곳과 메마른 곳으로 나뉘어져 있는데, 첫째 아들과 둘째 아들은 농사를 좋아하고 관리를 잘 하니 축축한 땅을 30결씩 나누어 가져라. 그리고 딸들아. 너희는 메마른 땅에 문화 시설을 건설하여 재미있는 생활을 하여라.
　산기슭의 땅은 7결과 반 결씩 나눠 가지고, 땔감을 얻을 수 있는 시지는 6과 4분의 일씩 나눠 가져라. 40세 이상의 노비는 세 명씩, 30세 이하의 젊은 남자 노비와 여자 노비는 여섯 명씩 나누어 갖고, 남는 노비와 아이 노비는 팔아서 그 돈을 나누어라.
　금덩이는 12돈과 반 돈씩, 비단은 다섯 필과 반 필씩 나눠 갖고, 앵무새는 어머니가 살아 있거든 나를 생각하며 데리고 사시라고 하여라.

[대화초5 오진석]

　자식들아, 집 근처의 비옥한 토지는 각각 30결씩 나누어 가지고, 산기슭의 척박한 토지는 첫째 아들과 둘째 아들이 나누어 갖고, 땔감을 얻을 수 있는 시지는 셋째 딸과 넷째 딸이 나누어 갖도록 하여라. 노비도 네 남매가 똑같이 나누도록 하는데, 노비가 남으면 노인 노비와 여자 노비, 아이 노비는 딸들에게 주고, 젊은 남자 노비는 아들들이 갖도록 하여라. 금덩이도 12.5돈씩 사이좋게 나누어 갖고 비단도 5.5 필씩 나눠라. 앵무새는 혹시 유산의 양이 적은 아들이나 딸이 갖도록 하여라.

[한내초5 배성빈]

역사와 뛰놀기
생각책 **078**쪽

[일월초3 김병철]

무신들의 세상
1170년

08

학습 목표
1. 고려 중기 사회 혼란을 알아본다.
2. 무신 정변의 원인과 결과를 알아본다.
3. 고려 시대 방패를 그려 본다.

생각 한 걸음
생각책 **082**쪽

1 보현원 (한국사 편지 2권 118쪽 참고)
2 의종 (한국사 편지 2권 118쪽 참고)
3 무신 정권 시대 (한국사 편지 2권 118쪽 참고)
4 이자겸 (한국사 편지 2권 121쪽 참고)
5 묘청 (한국사 편지 2권 122쪽 참고)
6 고려 시대 내시는 좋은 집안 출신의 유망한 젊은이로 학식이 뛰어나고 장차 중요한 관직에 등용될 사람이었다. (한국사 편지 2권 117쪽 참고)

생각 두 걸음
생각책 083~084쪽

[😊 😊] 표시는 이 책으로 공부한 어린이들이 실제로 쓴 답안 중에서 적절한 것을 골라 실은 것입니다. 만약 지금 문제를 풀고 있는 어린이가 다소 다른 대답을 하더라도 문항의 핵심을 충분히 이해했다면 어린이의 다양한 생각을 존중해 주세요.

1. [지도: 서경과 개경이 표시된 고려 지도]

2. 😊 😊

묘청: 문벌 귀족들의 힘을 약하게 하려면 수도를 다른 곳으로 옮겨야 합니다. 개경은 이미 땅의 기운이 다했고, 서경이 명당이니 서경으로 천도합시다.

김부식: 개경에 문벌 귀족들의 집과 땅 등 모든 재산이 있는데 서경으로 수도를 옮긴다는 것은 말도 안 됩니다. 어떻게든 천도를 막아야 합니다.

3. 😊 문신이나 무신이나 나라를 위해 열심히 일하는 것은 똑같은데, 여러 가지로 차별받는 것이 너무 억울했을 것이다.
😊 전쟁에 나가 싸울 때 문신이 장군으로서 무신을 지휘하는 것에 무신들은 불만이 많았을 것이다.

깊이 생각하기
생각책 085~086쪽

1. 😊 농민과 일반 병사들의 지지를 받았기 때문이다. 문벌 귀족들 때문에 힘들게 생활하고 있던 농민들은 무신들이 정권을 잡으면 좋은 세상이 올 것이라고 기대했을 것이다.
😊 무신들이 많은 병사와 무기를 가지고 있었기 때문이다. 무신들

이 반란을 일으키기로 마음먹고 문신들과 싸우면, 병사와 무기를 가지고 있는 무신들이 훨씬 유리했을 것이다.

🧒 치밀하게 계획을 세웠기 때문이다. 무신들은 문신들에게 여러 가지 수모를 당할 때마다 매우 화가 났겠지만, 마음속으로 꾹꾹 참으면서 때를 기다렸을 것이다.

2 👧 왕이 있었지만 실제로는 아무런 힘이 없었고, 정권을 잡은 무신들은 자신들만의 이익을 챙기기 위해 서로 다투었기 때문이다.

🧒 이의민은 천민 출신이지만, 무신 정권의 최고 우두머리까지 올라갔다. 이의민과 같은 천민이 권력을 잡는 모습을 보면서, 누구나 권력을 잡을 수 있다는 생각에 무신들끼리 다툼이 더 커졌기 때문이다.

3

	왕	문신	무신
👧	나를 귀양 보내고, 문신들을 잔인하게 죽인 후 권력을 차지한 무신들을 용서할 수 없다. 언젠가는 무신들을 몰아내고 다시 왕권을 강화할 것이다.	칼로 일어선 권력은 결국 칼에 의해 무너질 것이다. 기회를 틈타 무신들에게 빼앗긴 권력을 꼭 되찾을 것이다.	드디어 우리들의 세상이 되었다. 그동안 문신들에게 당했던 수모를 되갚아 줄 것이다. 앞으로 우리도 호의호식하며 살 것이다.
🧒	그동안 너무 심하게 문신과 무신을 차별한 것이 후회된다. 이렇게 될 줄 알았으면 좀 잘해 줄 걸 그랬다.	문신 대부분이 목숨을 잃었는데 그나마 살아남은 것이 다행이다. 앞으로 조용히 숨어 지내야겠다.	다시 문신들에게 당하지 않으려면 자식들에게 글공부를 열심히 시켜야겠다.

생각 펼치기
생각책 087쪽

무신들의 세상을
신세계가 왔다고 생각
들 하고 있니? 무조건 좋다고

의견을 내는 건 성급할 수 있어. 얼마나
세상이 부패하고 힘들어질지 모르는 일이야.
상상해 봐 무신들의 세상이 좋을지 나쁠지.

[한내초5 배성빈]

무신들은 자신들이
신의 계시를 받았다고 생각하고
들 수 있는 무기를 모두 들고서
의지를 내뿜으며
세상을
상대했다.

[염리초5 추민재]

무신들이
신인 것 같이
들떠 가지고
의종을 가마솥에 넣어
세상 어느 바다에
상상도 못할 깊은 곳에 빠뜨려 죽였다.

[송림초4 성동진]

> 이 책으로 공부한 어린이들의 실제 답안을 그대로 실었습니다. 어린이들의 다양한 생각과 관심을 파악할 수 있을 것입니다.

역사와 뛰놀기
생각책 088쪽

[대화초6 정 솔]

[대화초5 장영우]

[황룡초5 최서영]

왕후장상의 씨가 따로 있나?

1198년

09

학습 목표
1. 농민과 천민의 봉기를 알아본다.
2. 만적의 난이 지닌 역사적 의미를 생각해 본다.
3. 농민과 천민의 봉기를 가로세로 낱말 퀴즈를 통해 정리해 본다.

생각 한 걸음
생각책 092쪽

1 소 (한국사 편지 2권 127쪽 참고)
2 망이와 망소이 (한국사 편지 2권 128쪽 참고)
3 왕, 귀족, 장군, 재상 (한국사 편지 2권 131쪽 참고)
4 丁(정) (한국사 편지 2권 132쪽 참고)
5 흥국사 (한국사 편지 2권 133쪽 참고)
6 외거 노비는 주인과 따로 살면서 농사지은 곡식 일부를 몸값으로 바치고, 가끔 주인이 필요로 하는 일을 해 주는 노비를 말한다. 솔거 노비는 주인집에서 함께 살면서 온갖 (잡)일을 하는 노비를 말한다. (한국사 편지 2권 135쪽 참고)

생각 두 걸음
생각책 093~094쪽

[😊 👧] 표시는 이 책으로 공부한 어린이들이 실제로 쓴 답안 중에서 적절한 것을 골라 실은 것입니다. 만약 지금 문제를 풀고 있는 어린이가 다소 다른 대답을 하더라도 문항의 핵심을 충분히 이해했다면 어린이의 다양한 생각을 존중해 주세요.

1

😊 무신 정권 동안 여러 해에 걸쳐서 농민과 천민의 봉기가 전국에서 일어났다.
👧 백성들이 살기 힘들어서 전국에서 봉기가 일어났다.

2

생산품	생산지
철 ⬛	충주, 전주, 해남
은 ⬜	고성
소금 ⚪	개경
차 💧	장흥, 고성

🧒 고려 시대의 특별 행정 구역인 '소'가 많았다. 소에서 만드는 물건이 다양했다.

👧 자기를 만드는 소가 많았다. 소에서 만든 물건을 운반하기 쉽게 소는 바닷가 근처에 많았다.

깊이 생각하기
생각책 095~096쪽

1 🧒 정말 아쉽다. 계획을 치밀하게 잘 세워 성공했으면 좋았을 텐데. 이 일이 성공했다면 백성들이 살기 좋은 세상이 되지 않았을까?

👧 그들의 행동은 정말 용감하고 멋져. 실패하면 죽을 수도 있는데 이런 엄청난 일을 일으키다니, 아무나 할 수 있는 행동이 아닌 것 같아.

🧒 지금도 힘든데 더 힘들어지겠네. 이 일 때문에 귀족은 화가 나서 전보다 우리를 더 괴롭힐 거야.

2 👧 문신을 몰아내고 권력을 차지한 무신들은 자기들끼리 권력 싸움을 하느라 나랏일은 제대로 하지 않으면서 세금만 빼앗아 가고 백성들을 괴롭혔다. 그래서 농민과 천민은 살기가 힘들었다.

3 🧒 농민과 천민들의 저항을 '반란'이라고 생각한다. 폭력적인 방법으로 문제를 해결한다면 다른 지역에서도 같은 일이 반복될 수 있고 나라는 혼란스러워질 것이다. 그러므로 농민과 천민들의 저항은 나라의 안전을 위협하는 행동이다.

👧 농민과 천민들의 저항을 '봉기'라고 생각한다. 무신 정권의 권력자들은 자기들끼리 권력 싸움을 하느라 나랏일은 제대로 하지 않으면서 세금만 빼앗아 가고 백성들을 괴롭혔다. 많은 백성이 이런 부당한 일들이 고쳐지길 원했을 것이다. 그러므로 농민과 천민들의 저항은 많은 백성이 지지했고 부당한 일에 맞섰기 때문에 봉기이다.

생각 펼치기

생각책 097쪽

이 책으로 공부한 어린이들의 실제 답안을 그대로 실었습니다. 어린이들의 다양한 생각과 관심을 파악할 수 있을 것입니다.

선택한 날: 봉기에 참여한 노비들이 물에 빠져 죽은 날
날씨: 구름이 잔뜩 끼었다.
제목: 생각이 많았던 하루

  오늘 아침에 내 동료들이 물에 빠져 죽었다는 소식을 들었다. 아무리 반란을 일으킨 노비들이라지만 산 채로 강에 빠뜨려 죽이는 건 너무하다는 생각이 들었다.

  오늘따라 정신이 없어서 기분 전환을 하러 주인마님께 허락을 받고 시장에 갔다. 시장의 사람들이 내 주위에서 나를 쳐다보며 '배신자'라고 하는 것 같아 너무 무서웠고, 무슨 일을 당할 것만 같아서 바로 집으로 돌아왔다. 나는 죄책감 때문에 너무 힘들었다. 하지만 내가 양인이 되고 백금 80냥을 받아 부자가 되는 상상을 하면서 나 자신을 위로했다. 별별 생각을 하다 보니 벌써 자야 할 시간이다. 눈을 감으면 노비 친구들이 죽는 장면이 생각난다. 뜬눈으로 오늘 밤을 지새울 것 같다.

[한내초5 배성빈]

선택한 날: 순정이 주인에게 봉기 사실을 실토한 날
날씨: 비바람 불고 천둥이 치던 날
제목: 배신인가? 성공인가?

  나는 오늘 친구들을 배신했다. 만적이 봉기를 꾸민 일을 알고 친구들을 배신하는 게 좋은 것인가, 안 좋은 것인가를 고민하다가 주인에게 그만 그 사실을 알렸다. 나는 그 순간 당황했다. 내가 잘못했다고 생각했기 때문이다. 하지만 나는 주인님께 칭찬을 받았고, 곧 신분이 상승할 것이고 상금도 받을 것이라는 말을 들었다. '그래, 잘했어. 성공했어.'라는 생각이 들었다. 이 기분을 다 즐기고 나니 내 친구들한테 미안한 마음이 들었다. 그중에서도 대장인 만적에게 가장 미안했다. 하지만 이것은 다 운명이다.

[일월초4 공윤배]

선택한 날: 순정이 양인이 된 날

날씨: 천둥 번개

제목: 친구들아 미안해

  난 오늘 기분이 가볍지만 그래도 마음 한구석에는 노비 친구들에게 미안한 마음이 남아 있다. 사실 나는 수다쟁이여서 만적과 노비들이 봉기를 꾸민 것을 말하지 않는 게 너무 힘들었다. 그래서 주인님께 모두 털어놓은 것인데……. 그것이 친구들을 모두 죽이게 될 줄은 몰랐다. 난 양인이 되었지만 ……. 친구들아 모두 미안해.

[일월초4 이현아]

선택한 날: 순정이 주인에게 봉기 사실을 실토한 날

날씨: 화창함

제목: 인생의 갈림길

  산에서 함께 일하며 만나게 된 노비 만적과 반란을 일으키기로 했었다. 나도 이번 기회에 이 한 몸을 바쳐 무신 정권을 물리치겠다는 결심을 했었다. 비록 주인 나리께서 나에게 잘 대해 주기는 했지만, 그래도 나의 확고한 결심은 무너지지 않았었다. 그렇지만 이 모든 결심이 지난번 모임에서 무너졌다. 엄청난 인원의 노비들이 흥국사 앞에서 모이기로 했는데, 고작 몇 명밖에 오지 않았다. 만적은 며칠 후 다시 보제사에서 모이자고 제안했지만 나는 의심이 되었다. '이번에도 몇 백 명을 넘지 못했는데, 다음에 더 많이 모일 수 있을까?' 또 생각해 보니 주인 나리는 늘 나에게 관대했다. 몇 달 전, 내가 주인 나리를 제때 깨워 드리지 못해서 출근 시간을 훨씬 넘겨 지각하셨다. 나리께서는 관직에서 쫓겨나실 뻔 했지만, 그때 나를 무섭게 벌주기는커녕 다음부터는 성실하게 일하라고 다독여 주셨다. 만약 주인 나리께 모든 것을 실토했는데, 봉기가 성공하면 나는 배신자로 낙인찍혀 죽음을 면치 못할 것이다. 하지만 주인 나리께 실토한 후 봉기가 실패한다면 나리의 은혜에 보답할 수 있을 뿐만 아니라 잘하면 노비 신분을 벗어날 수도 있다. 지금 나는 인생 최대의 갈림길에 서 있다. 나는 나 자신이 옳은 선택을 할 것이라고 믿는다.

[염리초6 추민재]

역사와 뛰놀기
생각책 098쪽

	①망	이	망	소	②이			②최	충	헌
					규				순	
					③보	제	사		현	
	④왕	후	③장	상			④솔			
			정				거			
		⑤순	정		⑥외	거	노	비		
			⑤무				비			
	⑥도		⑦신	분	제	도				
	자		정				⑦호			
⑧봉	기		권				⑨만	적		

농민과 천민들이 몽골과 싸우다

1232년

10

학습 목표
1. 고려와 몽골의 전쟁을 알아본다.
2. 삼별초의 대몽항쟁을 생각해 본다.
3. 고려의 대몽항쟁을 스피드 퀴즈를 통해 정리해 본다.

생각 한 걸음
생각책 102쪽

1 몽골 (또는 원) (한국사 편지 2권 138쪽 참고)
2 강화도 (한국사 편지 2권 140쪽 참고)
3 처인성 전투 (한국사 편지 2권 142쪽 참고)
4 왕정 복고 (한국사 편지 2권 144쪽 참고)
5 좌별초, 우별초, 신의군 (한국사 편지 2권 145쪽 참고)
6 배중손 (한국사 편지 2권 147쪽 참고)

생각 두 걸음
생각책 103~105쪽

[😊 👧] 표시는 이 책으로 공부한 어린이들이 실제로 쓴 답안 중에서 적절한 것을 골라 실은 것입니다. 만약 지금 문제를 풀고 있는 어린이가 다소 다른 대답을 하더라도 문항의 핵심을 충분히 이해했다면 어린이의 다양한 생각을 존중해 주세요.

1

2

3

😊 몽골이 고려를 여러 번 침입했고, 고려의 많은 문화재가 불타서 없어졌다.

👧 삼별초가 몽골에 맞서 강화, 진도, 탐라로 옮겨 가면서 싸웠다.

깊이 생각하기
생각책 106쪽

1. 😊 강화도는 섬이라 적의 공격을 막기에 유리하다고 생각했기 때문이다.
   👧 각 지방에서 배에 실려 오는 세금을 거두기 편리한 곳이었기 때문이다.

2. 👦 왕과 귀족들이 군사들을 데리고 강화도로 가 버렸기 때문에 남아 있던 농민과 천민들은 스스로를 지키기 위해 싸웠을 것 같다.

3. 👧 삼별초는 백성들과 함께 4년 동안 몽골군과 싸웠다. 무신 정권을 위해 만들어진 부대였지만 몽골에 맞서서 끝까지 싸운 것은 훌륭하다고 생각한다.
   😊 삼별초의 행동이 이해가 간다. 목숨을 걸고 나라와 귀족들을 지켰는데, 그 공도 알아주지 않고 몽골군에게 삼별초를 넘기려고 한 행동 때문에 복수하고 싶은 마음이 들었을 것이다.
   👧 삼별초가 몽골군과 싸운 것은 자신들을 보호하기 위한 것이었기 때문에 훌륭하다고 평가할 수 없다. 삼별초는 몽골군이 쳐들어 왔을 때는 적극적으로 싸우지 않고 강화도에만 있었다. 그런데 고려가 몽골에게 항복하자 자신들의 이름이 전해져서 처벌받을까 봐 싸우기 시작했기 때문이다.
   😊 삼별초의 행동은 잘못되었다. 아무리 억울하다고 해도 왕의 지시를 따르지 않은 것은 잘못된 행동이다.

생각 펼치기
생각책 107쪽

이 책으로 공부한 어린이들의 실제 답안을 그대로 실었습니다. 어린이들의 다양한 생각과 관심을 파악할 수 있을 것입니다.

안녕하십니까!
여러분, 지금 우리는 또 한 번의 위기를 겪게 될 것 같습니다. 몽골의 침입 때문에 나라가 초토화되어 가고 있는데 왕이 도와주지 않으니 우리가 나서야 합니다. 여러분의 후손을 위해 남녀노소 모두 칼을 들고 싸웁시다. 지난번 처인성 전투에서도 우리는 이겼습니다. 우리가 이기면 예전처럼 평화롭게 살 수 있습니다. 여러분, 힘드시겠지만 다시 용기를 내 이번 몽골의 침략을 막읍시다. 우리가 이 전투에서 이기면 노비 문서를 없애고 여러분 모두에게 벼슬을 주겠습니다. 그리고 여러분의 이름은 역사에 남을 것입니다. 꼭 이깁시다!

[목운초6 임도윤]

나와 한배를 탄 동지들이여! 온 힘을 다해 나와 함께 몽골군과 맞서 싸우는 자들에게는 신분의 차별 없이 모두 벼슬을 주고, 노비의 신분인 자들의 노비 문서도 불태워 버리겠다. 그리고 이 전쟁이 끝나면 죽은 전우들의 가족들과 살아남은 용맹한 동지들에게 쌀 20석씩을 나누어 주겠다. 힘들겠지만 조금만 참으라. 우리 함께 저 잔혹한 몽골의 대군을 물리치고 승리해 보자!

[대화초5 오진석]

　충주 백성 여러분! 끈질기고 끈질긴 저 몽골군과 대적하시느라 힘이 들고 벅찬 것을 압니다. 제가 여러분에게 힘내시라고 한 가지 제안을 할까 합니다. 어떤 일이 있더라도 이 제안은 꼭 지키겠습니다. 만약 저희가 몽골군을 물리치고 승리를 하게 된다면 여러분께 골고루 벼슬을 내리도록 임금님께 고하겠습니다. 공을 세운 사람에게는 그에 맞는 적절한 보상을 하겠습니다. 더 이상 노비의 신분으로 살지 않도록 하겠습니다. 저를 믿고 우리나라를 지켜 냅시다!!!

[한내초5 배성빈]

11 1251년 고려 사람들의 마음이 담긴 팔만대장경과 상감 청자

학습 목표
1. 팔만대장경을 알아본다.
2. 고려 시대 고려청자를 알아본다.
3. 비누를 이용해 도장을 만들어 본다.

생각 한 걸음
생각책 112쪽

1 대장경 (한국사 편지 2권 157쪽 참고)
2 해인사 장경각 (한국사 편지 2권 157쪽 참고)
3 '소'라는 특별 지역 (한국사 편지 2권 164쪽 참고)
4 비색 (한국사 편지 2권 162쪽 참고)
5 상감 기법 (한국사 편지 2권 165쪽 참고)
6 직지심체요절 (한국사 편지 2권 167쪽 참고)

생각 두 걸음
생각책 113~115쪽

[😀😊] 표시는 이 책으로 공부한 어린이들이 실제로 쓴 답안 중에서 적절한 것을 골라 실은 것입니다. 만약 지금 문제를 풀고 있는 어린이가 다소 다른 대답을 하더라도 문항의 핵심을 충분히 이해했다면 어린이의 다양한 생각을 존중해 주세요.

1 ㅁ → (ㅂ) → ㅇ → (ㄱ) → ㅅ → (ㄷ) → (ㄴ) → ㄹ

2 😀😊

분류		사용법
베개	청자 모란 구름 학 무늬 베개 / 청자 쌍사자 무늬 베개	도자기로 만든 베개가 건강에 좋다는 소문이 나서 귀족들이 특별한 날 잘 때 사용했다.
식기	청자 잔과 받침 / 청자 주전자와 받침 / 청자 상감퇴화 풀꽃 무늬 주전자와 받침 / 청자 구형 주전자 / 청자 상감 국화 무늬 잔 / 청자 모란 무늬 항아리 / 청자 대나무 마디 모양 반	음식을 담아 놓거나 물이나 술을 담는 용도로 사용했다.
향로	청자 도철무늬 향로 / 청자 투각 칠보 무늬 향로	정신을 맑게 해 주는 향을 방에 피워 놓았다.
문구	청자 구형 연적 / 청자 오리 모양 연적 / 청자 투각 용머리 장식 붓꽂이	붓글씨 쓸 때 사용했다.

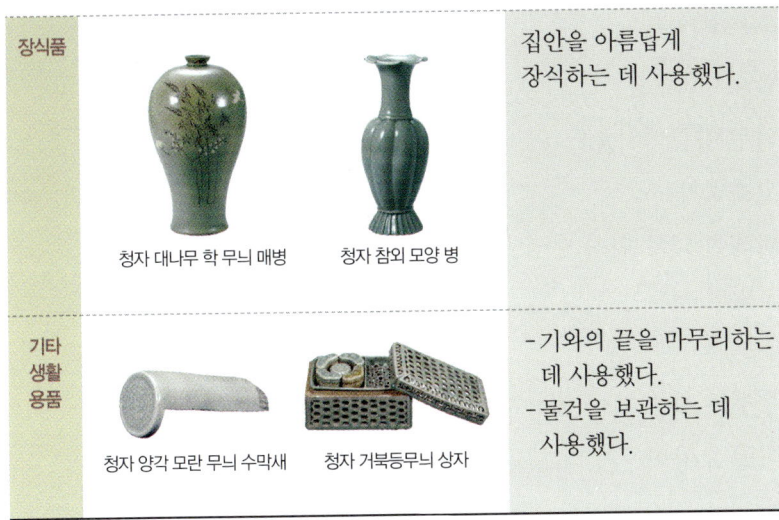

장식품	청자 대나무 학 무늬 매병 / 청자 참외 모양 병	집안을 아름답게 장식하는 데 사용했다.
기타 생활 용품	청자 양각 모란 무늬 수막새 / 청자 거북등무늬 상자	- 기와의 끝을 마무리하는 데 사용했다. - 물건을 보관하는 데 사용했다.

3 ❶ 😊 청자 상감 운학문 매병

　❷ 😊 푸른 빛깔 새긴 구름 학 무늬 길쭉 병

　　😊 물방울 속에 갇힌 학이 나는 병

　　😊 학, 구름무늬를 파서 색을 채워 넣은 청록 빛깔 병

깊이 생각하기
생각책 **116**쪽

1 😊 고려청자의 비색이 훌륭했고, 상감 기법으로 고려만의 아름다운 청자를 만들었기 때문이다.

　😊 고려청자의 색과 모양이 훌륭해서 인기가 좋았기 때문이다.

2 😊 고려에서는 백성들이 불교를 널리 믿었기 때문에 부처님의 힘을 빌려 전쟁과 같은 나라의 위기를 극복하려고 했다.

3 😊 인쇄를 하는 과정이 복잡하고 비용이 많이 들었기 때문에 인쇄술이 널리 퍼지지 못했을 것이다.

　😊 글자를 아는 백성이 적었기 때문에 많은 책을 만들 필요가 없어서 인쇄술이 널리 퍼지지 못했을 것이다.

　😊 왕이나 귀족들이 자기들끼리만 좋은 책을 읽으며 정보를 갖고 싶었기 때문이다.

생각 펼치기

생각책 117쪽

이 책으로 공부한 어린이들의 실제 답안을 그대로 실었습니다. 어린이들의 다양한 생각과 관심을 파악할 수 있을 것입니다.

〈아름다워Yo!〉

Yo~~ Yo~~
너무 아름다워yo!
고려청자~
비색이 너무 인기 만점이지Yo~
고려의 청자는 제일 짱으로 멋있지Yo~

누구든 사고 싶어 해yo~
어떤 모양이든지 다 멋있어yo~

[송림초4 성동진]

〈학〉

비색 속 하늘에 학 열 마리가 춤을 춘다.
산봉우리 위에서 춤을 춘다.
아름다운 매화처럼 자유롭게 날고 있네.

아름다운 청자의 곡선
마치 계곡 같네.

구름이 많은 금강산
날아다니기 좋은 날씨네.

처음에는 아무것도 없던 계곡
가꿔지고 가꿔져
학이 탄생한 청자가 되었네.

[목운초6 임도윤]

〈청자〉

우리 고유의 청자
우리만의 아름다운 청자

상감 기법의 문양

그것은 청자를 더욱 빛나게 해 주지.

다양한 빛을 내며 더욱 아름다워.

청자 안에 펄럭거리는 저 새가 유난히 아름다워.

감춰지지 않는 우리만의 아름다움

바로 청자

[황룡초5 최서영]

〈신의 색, 고려청자〉

가을 하늘 아래

이런 신기하고 아름다운 게 있을 줄이야.

고려청자는

아주 귀한 황금빛 옥구슬과 다를 게 없구나.

후세에 길이길이 남을 기술.

다 가르쳐 주고 싶구나.

[일월초4 공윤배]

역사와 뛰놀기
생각책 **118**쪽

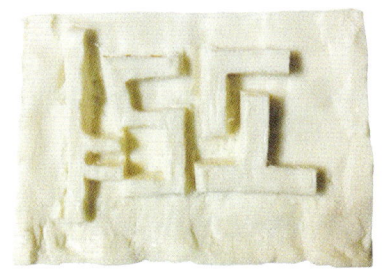 

[황룡초5 최서영]

《삼국사기》와 《삼국유사》, 두 역사책에 담긴 서로 다른 뜻

1281년

12

학습 목표
1. 《삼국사기》와 《삼국유사》의 특징을 알아본다.
2. 역사를 기록하는 이유를 생각해 본다.
3. 《삼국사기》와 《삼국유사》의 책 표지를 만들어 본다.

생각 한 걸음
생각책 122쪽

1 김부식 (한국사 편지 2권 172쪽 참고)
2 삼국유사 (한국사 편지 2권 174쪽 참고)
3 가락국기 (한국사 편지 2권 177쪽 참고)
4 관찬 사서, 사찬 사서 (한국사 편지 2권 178쪽 참고)
5 김부식이 보기에 단군왕검 이야기는 믿을 수 없는 괴이한 일이었기 때문이다. (한국사 편지 2권 176쪽 참고)
6 사관 (한국사 편지 2권 171쪽 참고)

생각 두 걸음
생각책 123~125쪽

[😊 😊] 표시는 이 책으로 공부한 어린이들이 실제로 쓴 답안 중에서 적절한 것을 골라 실은 것입니다. 만약 지금 문제를 풀고 있는 어린이가 다소 다른 대답을 하더라도 문항의 핵심을 충분히 이해했다면 어린이의 다양한 생각을 존중해 주세요.

1 😊 김부식과 일연은 출신, 생활 환경, 직업 등이 다르다. 따라서 역사를 보는 관점도 달랐을 것이다. 역사를 보는 관점이 다르기 때문에 중요하게 생각하는 내용이 달랐을 것이다.

😊 《삼국사기》는 왕의 명령을 받아서 쓴 역사책이지만, 《삼국유사》는 개인이 쓴 역사책이기 때문에 좀 더 자유롭게 자기의 생각을 쓸 수 있었을 것이다.

😊 책을 쓴 시기가 다르기 때문이다. 《삼국사기》가 편찬된 지 140년 뒤에 《삼국유사》가 편찬되었다. 140년 동안 사회가 많이 변한

만큼 내용도 그에 따라 달라졌을 것이다.

2 ❶ 😊 전쟁이나 종교에 관한 내용을 기록했다.

😊 왕이나 역사적인 인물에 대해 기록했다. 나라의 제도나 풍속, 사상, 전설을 기록했다.

❷ 😊 시의 형식으로 역사를 기록했다. 이집트 왕을 칭송하는 내용을 돌에 새겼다.

😊 역사를 책에 기록해서 후세에 남겼다. 그림과 글이 함께 쓰인 기록물도 있다.

❸ 😊 기록된 역사를 보고 후세 사람들이 교훈으로 삼게 하려고 기록했다.

😊 왕의 명령으로 그 업적을 기리기 위해서 기록했다.

😊 역사적 사실을 영원히 남기고 싶은 마음 때문에 기록했다.

깊이 생각하기
생각책 **126**쪽

1 😊 역사에 관한 지식이 있는 사람, 책, 유물, 유적과 같은 사료, 책을 쓸 수 있는 종이, 연구할 수 있는 장소와 시간, 돈, 역사에 대한 관심 등.

2 😊 역사를 기록하는 사람은 역사적 지식이 풍부해야 한다. 그래야 올바른 자료를 선택할 수 있고, 다양한 이야기를 들려줄 수 있기 때문이다.

😊 긴 시간 동안 집중해서 연구할 수 있는 인내심이 있어야 한다. 역사를 기록하는 일은 시간이 아주 오래 걸리기 때문에 끈기가 없으면 중도에 포기할 수도 있다.

😊 역사를 기록하는 사람은 공정해야 한다. 공정하지 않으면 어느 한쪽의 편을 들어서 역사를 왜곡할 수 있기 때문이다.

3 😊 편년체로 서술할 것이다. 고려 시대에는 거란과의 전쟁, 무신정변, 농민과 천민의 반란, 몽골과의 전쟁 등 많은 사건이 있었다. 편년체는 사건을 시간의 순서대로 기록하기 때문에 역사를 기록하기 쉽고, 읽는 사람도 이해가 쉬울 것이다.

😊 기전체로 서술할 것이다. 고려 시대에는 업적을 세워 역사에 남

을 만한 인물이 많았기 때문이다. 그리고 인물 중심으로 역사를 서술하면, 역사도 알고 인물의 인간적인 면도 볼 수 있어서 더 재미있을 것이라 생각한다.

👦 기사본말체로 서술할 것이다. 고려 시대에는 많은 사건이 일어났다. 사건만을 기록하는 것보다 사건의 원인과 나중에 미친 영향까지 기록해야 후세에 역사를 읽는 사람들에게 교훈이 될 것이라고 생각한다.

👧 강목체로 서술할 것이다. 시간의 순서대로 기록하기 때문에 이해하기 쉽고, 역사에 대한 평가가 들어가기 때문에 당시의 평가와 후세의 평가를 비교할 수 있다. 그래서 시대에 따라 평가의 기준도 바뀔 수 있다는 것을 알 수 있다고 생각한다.

생각 펼치기

생각책 127쪽

이 책으로 공부한 어린이들의 실제 답안을 그대로 실었습니다. 어린이들의 다양한 생각과 관심을 파악할 수 있을 것입니다.

	나의 역사적 사건
사건이 일어난 때	2007년 8월 6일 (7살 때)
사건의 내용	가족과 함께 여름휴가로 사이판에 갔었다. 사이판에서 있었던 일은 대부분 좋았지만 딱 한 가지 일만은 좋지 않았다. 어떤 일이냐면, 바닷가를 지나다가 사람들이 보트를 타는 것을 보고, 나도 타고 싶어서 아빠를 졸랐다. 아빠가 보트를 빌려 오셨고, 난 신이 나서 제일 먼저 보트를 타고 안전띠를 맸다. 하지만 그것이 문제였다. 엄마와 누나가 타고, 마지막으로 아빠가 한쪽 발을 올리는 순간 배가 한쪽으로 기울더니 뒤집어지고 말았다. 다행히 엄마와 누나는 안전띠를 매지 않아 탈출에 성공했지만 나는 뒤집힌 배에 매달려 물속에 처박혀 있었다. 숨이 막혀 죽을 것 같았다. 그때 어떤 아저씨가 도와주어서 간신히 살았다. 그 아저씨는 생명의 은인이다.
누나의 생각	사이판에 갔을 때 배가 뒤집힌 일이 있었던 것 같기는 하다. 그런데 도윤이가 생명의 위협을 느꼈는지 전혀 몰랐다. 사람은 그렇게 쉽게 죽지 않는다고 생각한다. 도윤이가 그 사건을 과장하고 있는 것 같다.

[목운초6 임도윤]

	나의 역사적 사건	
사건이 일어난 때	2010년 3월 4일 (7살 때)	
사건의 내용	나는 책상에 앉아서 풀, 칼, 저금통을 만지고 있었다. 며칠 전에 유치원에서 만들어 온 나무 저금통이었는데, 완성을 못해서 풀칠을 하고 칼로 칼집을 내고 있었다. 풀칠을 하는데 손에 자꾸 풀이 묻어서 찝찝했다. 억지로 풀칠을 다 하고 한참 칼로 칼집을 내고 있었는데, 그때, 손이 칼에 베었다!!! 피가 뚝뚝 떨어지고 너무 아팠다. 그 순간 너무 당황스럽고 손이 쓰리고 아팠다. 혹시 손가락이 잘라진 건 아닐까 하고 걱정이 되었다.	
엄마의 생각	단이가 혼자서 뭔가를 하고 있는 줄은 알았지만 칼로 저금통에 칼집을 내고 있는 줄은 몰랐다. 예전부터 칼이나 가위는 위험하다고 몇 번이나 주의를 줬는데. 상처는 생각보다 깊지 않다. 소독약으로 소독을 하고 밴드를 붙여 주었더니 이틀 만에 다 나았다.	

[대화초3 정 단]

역사와 뛰놀기
생각책 **128**쪽

[목동초5 장유준]

[한내초5 배성빈]

공민왕의 개혁 정치

1351년

13

학습 목표
1. 공민왕의 개혁 정치를 알아본다.
2. 고려 후기 사회의 모습을 알아본다.
3. 타래과를 만들어 본다.

생각 한 걸음
생각책 132쪽

1 부원배, 친원파 (한국사 편지 2권 184쪽 참고)
2 원나라에 충성한다는 뜻을 나타내기 위해서이다. (한국사 편지 2권 186쪽 참고)
3 공녀 (한국사 편지 2권 188쪽 참고)
4 몽골풍, 고려양 (한국사 편지 2권 189쪽 참고)
5 신돈 (한국사 편지 2권 190쪽 참고)
6 전민변정도감 (한국사 편지 2권 192쪽 참고)

생각 두 걸음
생각책 133~134쪽

[😊😊] 표시는 이 책으로 공부한 어린이들이 실제로 쓴 답안 중에서 적절한 것을 골라 실은 것입니다. 만약 지금 문제를 풀고 있는 어린이가 다소 다른 대답을 하더라도 문항의 핵심을 충분히 이해했다면 어린이의 다양한 생각을 존중해 주세요.

1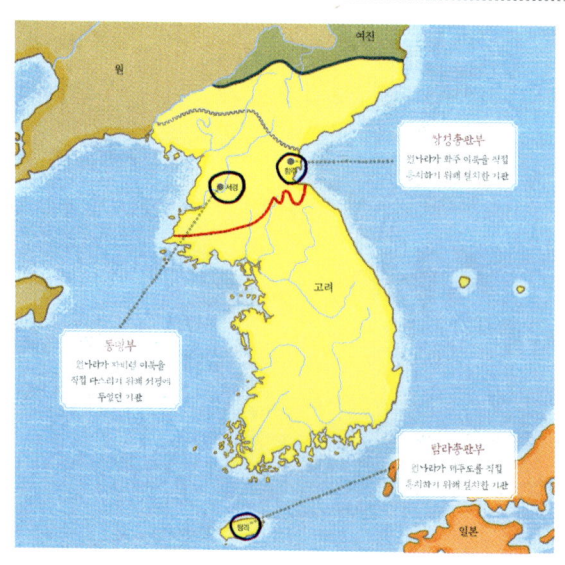

2 😊 원 간섭기에 고려는 원나라, 티베트 불교의 영향을 받은 유물이 많았다. 탑과 불상의 모습이 삼국 시대와 매우 다르다. 고려는 원나라와 교류가 활발하였고 변발이나 호복 등 몽골풍이 유행하였다. 고려 사람들은 불교를 믿었고 사냥을 좋아했다.

3

😊 고려와 원나라가 교류하게 되면서 서로의 문화가 신기하고 멋져 보여 따라 하고 싶었을 것이다. 그래서 고려에서는 '몽골풍'이 유행하게 되고 원나라에서는 '고려양'이 유행하게 되었을 것이다.

깊이 생각하기
생각책 135~136쪽

1 😊 원나라는 원나라의 공주를 고려의 왕비로 만들어서 고려를 마음대로 조종하려고 했을 것이다. 그래서 고려의 왕은 자기 뜻대로 나라를 다스리기 힘들었을 것이다.
😊 원나라의 공주가 고려의 왕비가 되면서 원나라에 잘 보이려는 부원배들이 많아졌을 것이다. 그들은 나라를 생각하지 않고 자신의 이익만 생각했기 때문에 고려 왕은 나라를 위한 정치를 하기 힘들었을 것이다.

2 😊 고려가 자주적인 나라였다고 생각한다. 원나라는 세계적으로 큰 제국을 이루었고 자신이 정복한 나라는 직접 다스렸다. 그러나 고려는 원나라에 조금 간섭을 받기는 했지만, 고려라는 나라의 이름을 사용할 수 있었고, 왕도 있었으므로 고려는 자주적인 나라이다.
😊 고려가 속국이었다고 생각한다. 원나라는 자신들 마음대로 고

려의 왕을 바꿀 수 있었고 고려의 세자는 원나라에 볼모로 가 있어야 했다. 그리고 많은 양의 조공을 바쳤다.

3 😊 원나라 땅이 되어 있던 철령 이북의 땅을 공격하여 되찾는 것이 가장 중요하다고 생각한다. 원래 철령 이북의 땅은 고려의 영토였다. 빼앗긴 고려의 영토를 되찾고 그곳에 있는 원나라 사람들을 쫓아내야 한다. 그래야 원나라의 간섭에서 벗어날 수 있고 제대로 된 개혁을 할 수 있기 때문이다.

😊 부원배의 우두머리인 기철과 그 집안사람들을 쫓아내는 것이 가장 중요하다고 생각한다. 부원배들은 나라와 백성은 생각하지 않고 자신들의 권력에만 관심이 있었다. 그래서 왕이 제대로 된 정치를 하려면 부원배의 우두머리인 기철과 그 집안사람들을 쫓아내는 일부터 해야 한다.

😊 몽골 옷을 벗어 버리고 머리 모양도 변발에서 고려식으로 바꾸는 것이 가장 중요하다고 생각한다. 제대로 된 개혁을 하려면 생활 모습부터 고쳐야 한다. 몽골 옷을 입고 변발한 모습으로 생활하면서 고려를 제대로 개혁할 수는 없기 때문이다.

생각 펼치기
생각책 137쪽

이 책으로 공부한 어린이들의 실제 답안을 그대로 실었습니다. 어린이들의 다양한 생각과 관심을 파악할 수 있을 것입니다.

충성스러운 신하 신돈에게

최근 원나라에 내분이 생기고 정치적으로 혼란스러워졌다는 소식을 들었다. 이 틈을 타서 나는 고려를 다시 일으켜 세울 수 있는 개혁을 추진해 보려고 한다. 그런데 이 개혁을 추진하려면 나와 뜻이 잘 맞는 신하를 찾아야 하는데, 요즘은 그러한 신하를 찾기 어렵더구나. 모두 나에게 충성을 다하는 척을 하고 있으나, 실은 신하 대부분이 친원파이며, 뇌물에 눈이 멀었다는 것을 나는 이미 알고 있다. 하지만 자네만은 그렇지 않으리라 믿고 지금 이 일을 추진하려 하는 것이다. 개혁의 내용은 대충 이러하다.

첫째, 지방마다 활개치고 다니는 친원파와 부원배를 몰아낼 것이다.

둘째, 친원파가 소유한 땅을 빼앗아서 가난한 백성들에게 다시 나누어 줄 것이다.

셋째, 철령 이북 땅을 되찾을 것이다.

이 개혁에 자네는 꼭 동참하리라 믿는다. 잘 생각해 보고, 내일 해가 지기 전에 궁으로 들어오너라.

[염리초5 추민재]

신돈 스승님께

지금 고려의 상황은 매우 안 좋습니다. 고려에 변발과 호복이 유행하고 있고, 부원배와 친원파가 들끓고 있습니다. 고려의 처녀들을 원나라에 공녀로 보내야 하고, 철령 이북의 땅도 하루빨리 되찾아야 합니다. 그래서 저는 고려의 여러 문제를 해결하려고 합니다. 이 문제를 해결하려면 저의 힘만으로는 힘들 것 같습니다. 저는 신돈 스승님의 힘이 필요합니다. 그렇다고 대가를 안 주지 않을 겁니다. 벼슬이나 토지나 무언가 바라는 것을 드리겠습니다. 저와 함께 고려의 개혁을 하시겠습니까?

[대화초4 남윤지]

안녕하시오.

난 지금 당신의 도움이 필요하오.

다른 부원배와 친원파들은 내가 믿을 수가 없소. 내가 어려 나이 많고 강한 분들을 상대하기가 쉽지가 않소. 그대를 믿고 맡기고 싶소.

내가 만들고 싶은 나라는 자주적이고 독립적인 나라라오. 그래서 나는 철령 이북 지역을 되찾고, 부원배와 친원파들을 억누를 생각이오. 그대를 믿을 테니 내일 꼭 궁으로 오시오. 만약 성공한다면 그대에게 높은 관직을 주겠소. 고맙소.

그대가 필요한 왕

[일월초4 이현아]

영리한 스님 신돈에게

신돈 스님, 당신은 스님 중에서 제일 똑똑한 분이시니 나를 도와 우리 고려를 되찾을 수 있을 것이오. 부디 내가 고려를 개혁하는 데 아주 큰 도움을 주길 바라오.

　나는 이미 계획을 세워 놨으니 이것을 자세히 보시고 이 계획을 실천할 좋은 작전을 세워 주시기 바라오.

　1. 철령 이북의 땅을 되찾는다.
　2. 부원배의 우두머리인 기철과 그 집안사람들을 쫓아낸다.
　3. 전민변정도감을 설치한다.
　4. 원나라로 공녀를 보내는 것을 중단시키고 나의 모든 것을 고려 식으로 바꾼다.

　신돈 스님, 제발 나를 도와 우리 자랑스러운 고려를 개혁합시다.

[일월초4 공윤배]

목화씨와 화약

1364년

14

학습 목표
1. 목화 재배가 백성들에게 미친 영향을 알아본다.
2. 화약을 발명한 이후 고려 사회의 변화를 알아본다.
3. 색종이로 옷감 짜기를 해 본다.

생각 한 걸음
생각책 142쪽

1 문익점 (한국사 편지 2권 198쪽 참고)
2 백성: 삼베, 귀족: 비단이나 명주 (한국사 편지 2권 199쪽 참고)
3 정천익 (한국사 편지 2권 202쪽 참고)
4 화약과 화포 (한국사 편지 2권 205~206쪽 참고)
5 염초, 유황, 숯 (한국사 편지 2권 206쪽 참고)
6 화통도감 (한국사 편지 2권 207쪽 참고)

생각 두 걸음
생각책 143~145쪽

[😊😊] 표시는 이 책으로 공부한 어린이들이 실제로 쓴 답안 중에서 적절한 것을 골라 실은 것입니다. 만약 지금 문제를 풀고 있는 어린이가 다소 다른 대답을 하더라도 문항의 핵심을 충분히 이해했다면 어린이의 다양한 생각을 존중해 주세요.

1

2

3
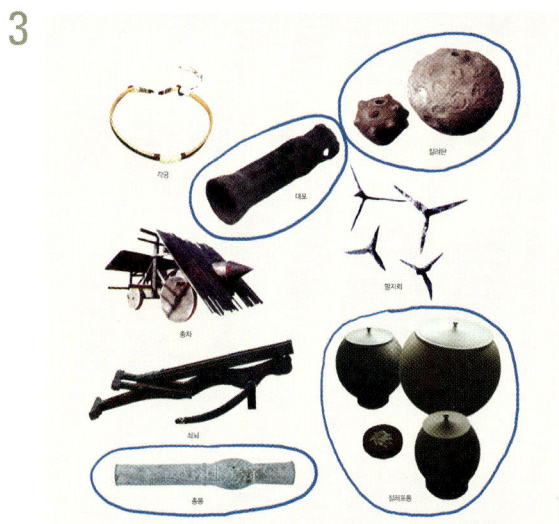

👨 화약을 이용하는 무기의 장점은 강한 화력으로 한 번에 적에게 큰 피해를 줄 수 있다는 것과 멀리 떨어진 적을 공격할 수 있다는 것이다.

깊이 생각하기
생각책 **146**쪽

1. 😊 문익점이 원나라에서 목화를 들여와 키우게 되면서 백성들의 의생활에 엄청난 변화가 생겼기 때문이다. 목화가 있기 전에는 얇은 옷감으로 옷을 지어 입어서 추운 겨울에 힘들게 생활했고, 얼어 죽는 사람도 있었다. 그런데 목화로 무명옷과 이불솜을 만들어 쓰면서 겨울에도 따뜻하게 지낼 수 있게 되었다.

2. 😀 홍건적과 왜구의 잦은 침입은 국방을 더욱 튼튼히 해야겠다는 생각을 하게 했을 것이다. 고려 왕실은 홍건적과 왜구를 물리칠 수 있는 무기의 개발이 필요하다고 생각하여 새로운 무기를 만들 수 있도록 지원했을 것이다.
   👶 홍건적과 왜구는 고려 땅에서 도둑질을 하고, 사람을 해쳤다. 그래서 백성들의 삶을 매우 힘들게 했을 것이다.
   👱 홍건적과 왜구의 잦은 침입은 무인 세력들의 힘을 강하게 했을 것이다. 홍건적과 왜구를 물리치며 공을 세운 무인들은 왕과 백성들의 신임을 받으며 세력을 키울 기회를 갖게 되었을 것이다.

3. 😊 목화가 당시 백성들의 삶에 더 큰 도움을 주었다. 목화가 들어오기 전에는 많은 백성들이 추위에 떨고 헐벗었지만 목화로 만든 무명옷을 입게 되면서 겨울을 따뜻하게 보내게 되어 추위에 얼어 죽거나 병에 걸리는 사람이 많이 줄어들었기 때문이다.
   😀 화약이 당시 백성들의 삶에 더 큰 도움을 주었다. 화약이 발명되어 왜구의 침입을 막을 수 있었고 백성들이 맘 놓고 농사짓고 살 수 있었기 때문이다.
   👨 목화와 화약은 둘 다 똑같이 백성들의 생활에 도움을 주었기 때문에 어떤 것이 더 도움을 주었는지 판단하기 어렵다.

> **생각 펼치기**
> 생각책 **147**쪽
>
> 이 책으로 공부한 어린이들의 실제 답안을 그대로 실었습니다. 어린이들의 다양한 생각과 관심을 파악할 수 있을 것입니다.

1월

한 그릇 먹고, 두 그릇째
많이 먹어 누나보다
나이 많아지세.
왐파왐파 하하

7월

노란 해만 봐서 그런가?
얼굴 가운데는 검게 타고
꽃잎은 노랗게 물들었네.
왐파왐파 하하

10월

조상님께 절을 하네.
산 사람한테 절하면 세뱃돈 주는데
묘지에다 절하면 왜 안 주나?
왐파왐파 하하

[목운초6 임도윤]

1월

떡국 먹고 나이 한 살 먹고
왕떡국 왕떡국 가래떡, 왕만두 넣은 왕떡국~
너무 맛있어 한 그릇 두 그릇 살만 찌네.
쉴리 꿜리 야리야리야

7월

여름 방학 더워 더워 더워
엄마한테 아이스크림 사 먹을 돈 달라 하니
심부름하고 용돈 벌라하네.
쉴리 꿜리 야리야리야

12월

흰 눈이 펑펑 온 세상 덮었네.
친구하고 눈싸움하며 눈덩이로 서로 맞히네.
눈사람도 만들고 코코아도 마시며 우정도 쌓네.
쉴리 뀔리 야리야리야

[송림초4 성동진]

역사와 뛰놀기
생각책 **148**쪽

[연가초4 조승아]